시니어를 위한 힐링 컬러링북

나의 살던 고향은

여름

꿈꾸는리아 글 그림

나의 살던 고향으로
님을 초대합니다.
_____

프롤로그

계절별 향수를 불러 일으키는 여행 시리즈의 다음 장인
'나의 살던 고향은_ 여름'에 오신 것을 환영합니다.

시리즈 1부 '나의 살던 고향은_ 봄'에서는 꽃이 피어나고
새의 즐거운 노래를 들으며 우리는 봄이 주는
새로운 희망과 설렘을 느꼈습니다.

이제 뜨겁고 열정적인 여름날을 맞이할 시간입니다.
'나의 살던 고향은_ 여름'은 햇살 가득한 해변과 광활한 바다,
울창한 숲과 고요한 계곡으로 여러분을 안내합니다.
가족들의 웃음소리가 들리고 소중한 순간의 따뜻함이 느껴집니다.

이 책의 각 그림은 우리의 소중한 추억을 불러일으키고
얼굴에 미소를 짓게 만들도록 디자인되었습니다.

이 장면들을 당신만의 색깔로 생생하게 표현하면서,
위로와 기쁨을 얻으시기를 바랍니다.

꿈꾸는리아

목 차

무당벌레

무당벌레는 딱정벌레목 무당벌레과에 속하는 곤충입니다.
천적으로 진딧물을 잡아먹는 대식가입니다.
귀여운 외모와 함께 농작물 보호에 도움을 주는 유용한 곤충입니다.

매미

매미 유충은 땅속에서 3~17년 동안 생활하다가 성충으로 우화합니다.
성충이 된 매미는 수명이 매우 길어, 곤충 중에서도 장수하는 편에 속합니다.
해열, 항과민, 파상풍 등에 효능이 있어 한약재로도 사용됩니다.

여치

여치는 메뚜기목 여치상과에 속하는 곤충으로,
초식성부터 육식성까지 다양한 식성을 가지고 있습니다.

우리나라 남부 해안가에 주로 분포하는 여치는 초식성이며,
억새나 갈대를 주식으로 삼습니다.

잠자리

잠자리는 수생 곤충으로, 유충 시기에는 물속에서 생활하다가
성충이 되면 육상으로 나와 활동합니다.
성충이 된 잠자리는 주로 꽃 꿀을 먹고 살며,
날개를 펴고 날아다니며 아름다운 모습을 보여줍니다.

장미

장미는 한국인들에게 가장 사랑받는 꽃 중 하나로,
사랑, 아름다움, 고귀함 등의 상징적 의미를 가지고 있습니다.

해바라기

해바라기는 기다림, 숭배, 동경의 꽃말을 가지고 있으며,
당신만을 바라보는 사랑을 상징합니다.
특히 우리나라에서는 부귀화와 함께 부를 상징하는 꽃으로 인기가 많습니다.

수국

수국은 일본이 원산지인 낙엽관목 식물입니다.
일본에서는 여성의 우아함과 정숙함을 상징하는 꽃으로 여겨지고,
한국에서는 부귀와 행운을 상징하는 꽃으로 사랑받고 있습니다. 🌸

백일홍

꽃말은 '인연'이며, 코기는 60-90cm이고 6-10월에 꽃이 핍니다.
백일홍의 이름은 한자 그대로 '백일 동안 피어있다'는 뜻으로,
오랫동안 꽃이 시들지 않는다는 의미가 있습니다.

수박

여름철 대표적인 과일로, 더위를 식히고 수분을 보충하는데 도움을 줍니다.
수박에는 다양한 영양성분이 풍부하게 함유되어 있어 건강에 좋습니다.

복숭아

중국이 원산지이며, 한국에서도 오래전부터 재배되어 왔습니다.
영양가가 풍부하고 효능이 좋아 건강에 좋은 과일로 알려져 있고,
우리 민족에게는 귀신을 쫓는 의미와 장수의 의미를 가지고 있습니다.

파인애플

섬유가 적고 즙이 많으며, 단맛과 신맛이 조화를 이루는
상쾌한 맛을 가지고 있습니다.
우리나라에서는 1964년 제주도에서 시험재배에 성공하였으니,
옛날엔 너무 귀한 과일이었죠?

반바지

일상생활부터 운동, 여행 갈때는 시원한 반바지가 최고예요.

원피스

여름 느낌이 물씬 나는 민소매 원피스는 너무 사랑스러워요~

김매기

여름철은 작물 생육 초기로 잡초 발생이 가장 많은 시기예요.
여름철 농사에서 김매기는 매우 중요한 작업입니다.
맨손으로 잡초를 뽑거나 호미, 쟁기 등 농기구를 사용하여 중경 작업을 합니다

바람을 가르며

시원한 바람을 맞으며 즐거운 시간을 보내는 모습에서
자유와 행복이 느껴집니다.

그늘 아래

거대한 나무 그늘아래 사람들은 일상의 피로를 씻어내고,
자연의 품에 안겨 여유와 평화를 누리고 있습니다.

여름 산

푸르른 나무들이 하늘을 가득 채운 여름 산의 품 안에서,
잠시나마 현실의 무게를 내려놓고 나는 자유로워집니다.

여름 바다

푸른 하늘 아래 펼쳐진 여름 바다,
파도가 부서지며 내뿜는 소리는 우리에게 휴식과 위안을 줍니다.

가족 나들이

사랑하는 가족과 함께 여름 바다를 누리면서,
영원히 우리의 마음에 남을 소중한 추억을 만들어 보세요.

감미로운 휴식

모래사장 위 파라솔 아래 놓인 의자에 앉아
바라보는 바다 풍경은 마음을 편안하게 해줍니다.

모래놀이

모래사장 위로 밀려오는 파도,
그 속에서 아이들의 웃음소리가 맑게 울려 퍼집니다.

바다 속

물 속 깊이 잠기면 시간이 멈춘 듯, 세상의 소음과 번잡함이 사라집니다.
신비롭고 아름다운 바닷속 풍경은 마치 환상적인 다른 세계 같습니다.

일몰

석양이 물결 위로 내려앉으면 바다는 황금빛으로 물들어 갑니다.
하늘과 바다가 하나가 되어, 아름다운 색채의 조화를 이룹니다.

나의 살던 고향은 _ 여름

발 행 | 2024년 7월 9일
저 자 | 꿈꾸는리아
펴낸이 | 한건희
펴낸곳 | 주식회사 부크크
출판사등록 | 2014.07.15.(제2014-16호)
주 소 | 서울특별시 금천구 가산디지털1로 119
         SK트윈타워 A동 305호
전 화 | 1670-8316
이메일 | INFO@BOOKK.CO.KR
ISBN | 979-11-410-9408-9
WWW.BOOKK.CO.KR